D1293829

MOTS DE TÊTE 2

Pierre Légaré

Mots de tête

tome 2

Stanké

Données de catalogage avant publication (Canada)

Légaré, Pierre

    Mots de tête

    ISBN 2-7604-0693-8 (v. 1)
    ISBN 2-7604-0728-4 (v. 2)

    I. Titre.

PS8573.E452M67 1999   C848'.5402   C99-941191-8
PS9573.E452M67 1999
PQ3919.2.L43M67 1999

Dépôt légal: Bibliothèque nationale du Québec, 2000

ISBN 2-7604-0693-8 (v. 1)
ISBN 2-7604-0728-4 (v. 2)

Les Éditions internationales Alain Stanké remercient le Conseil des Arts du Canada et la Société de développement des entreprises culturelles (SODEC) de l'aide apportée à leur programme de publication.

Nous reconnaissons l'aide financière du gouvernement du Canada par l'entremise du Programme d'aide au développement de l'industrie de l'édition (PADIÉ) pour nos activités d'édition.

Stanké International
12, rue Duguay-Trouin
75006, Paris
Téléphone: 45.44.38.73
Télécopieur: 45.44.38.73

Les Éditions internationales Alain Stanké
615, boul. René-Lévesque Ouest, bureau 1100
Montréal (Québec) H3B 1P5
Tél.: (514) 396-5151
Télécopie: (514) 396-0440
editions@stanke.com
www.stanke.com

IMPRIMÉ AU QUÉBEC (CANADA)

1

La raison pour laquelle les lapins baisent en quelques secondes, c'est qu'ils n'ont pas de mains.

2

Le saut en largeur, ça, ça en a fait des infirmes.

3

Une otarie et un phoque, c'est quasiment pareil, mais si tu cries «Otarie you!», l'autre ne comprend pas.

4

Il y a des portes où c'est écrit «bureau», mais il y a pas de bureaux où c'est écrit «porte».

5

La meilleure façon de rappeler aux gens de protéger les arbres, c'est par les journaux.

6

Un chef d'orchestre qui essaye de tuer une mouche, c'est très dur pour l'orchestre.

7

Mettons que t'écris «Sans cholestérol» sur des ampoules électriques, t'en vends pas plus.

8

Météorologue, c'est faire de la température, mais sans être malade.

9

Si t'as un épouvantail à moineau qui ressemble à Claudia Schiffer, ça marche quand même.

10

Mettons que t'es chauve et qu'on te demande «Couleur des cheveux?», tu peux prendre la couleur de tes sourcils.

11

Quand Pinocchio éternue, il a la main pleine de sève.

12

Mettons que t'as perdu un 20 $ et que tu mets sa photo dans le journal, tu ne le retrouves pas.

13

Un sourd-muet qui est paralysé, les autres sourds-muets pensent qu'il réfléchit.

14

Manger sur une terrasse en été, c'est comme au restaurant, sauf que, des fois, les grains de poivre ont des petites ailes.

15

Il y a des petits enfants pauvres qui ont juste des chaussons aux pommes raccommodés pour dessert.

16

Pour scier une chaîne, une scie à chaîne, ça marche pas.

17

Quand t'écris à la reine d'Angleterre, t'as juste à mettre le timbre au milieu de l'enveloppe et ça se rend. Théoriquement.

18

Si t'attaches ton chien après un boomerang, c'est le bâton qui rapporte ton chien.

19

Y a des petites chenilles qui pourraient faire des belles moustaches, mais des fois, y faudrait que tu la replaces.

20

Quand tu photocopies une photocopie, t'obtiens pas un original.

21

Pour ne pas avoir le mal de mer quand t'es en croisière sur un paquebot, reste dans la piscine.

22

Du bacon qui cuit et une personne sous la douche, ça fait le même bruit. Du bacon sous la douche et une personne qui cuit, on ne le sait pas.

23

Des gants de boxe, en réalité, c'est des mitaines de boxe.

24

Au tribunal, si le gars qui te fait jurer de dire «la vérité, toute la vérité, rien que la vérité» a mauvaise haleine, t'as pas le choix, tu lui dis: «Tu pues.»

25

Un enfant qui mélange le Z et le N, ça peut être parce qu'il mange trop d'Alphabits.

26

Si tu mets des lunettes qui sont pas ajustées à ta vue et que tu dis aux gens autour de bouger au ralenti, c'est comme si tu faisais de la plongée.

27

Quand quelqu'un te demande: «C'est quoi ton signe», tu peux répondre: «J'ai pas besoin de signes, je parle.»

28

Si tu traverses souvent la rue, ça peut être une bonne chose d'apprendre à loucher.

29

Quand les cannibales ont juste une fringale, ils mangent un nain.

30

Quand t'es dans un avion qui va à la vitesse du son et que tu parles à ton voisin, c'est le passager derrière qui te répond.

31

Peut-être que le soleil chauffe à 65 millions de degrés, mais est-il capable de faire autre chose? Non.

32

T'as 2 parents, 4 grands-parents, 8 arrière-grands-parents: la population est pas supposée d'augmenter tout le temps.

33

Mettons que t'enlèves jamais les bibittes écrasées dans ton pare-brise, avec les années, ça peut donner le visage de la Joconde. Bon, peut-être pas pareil pareil.

34

Quand tu mets de l'argent de côté, c'est garanti: il tombe.

35

Dehors, la nuit, si tu dis «Avance» quand tu marches et que tu dis «Stop» quand t'arrêtes, tu vas voir: la lune t'obéit.

36

Nous autres, quand on voit un Chinois, on pense que tous les autres Chinois lui ressemblent. Quand les Chinois voient Jean Chrétien, c'est la même chose.

37

Pour savoir le temps qu'il fait, tu peux utiliser un thermomètre. Ou mieux, un baromètre... Ou encore mieux: une fenêtre.

38

Une idée de déguisement pour l'Halloween: tu te sauves de l'acupuncteur en plein milieu du traitement, tu dis que t'es déguisé en cactus.

39

Mettons que tu connais pas le mot «synonyme», tu peux prendre un mot qui veut dire la même chose.

40

Un bon truc pour te défendre si t'es attaqué par quelqu'un et que tu n'as pas de poivre de Cayenne: tu vas acheter un oignon et tu l'épluches dans son visage.

41

Mettons que t'envoies une lettre, que tu connais pas le code postal, mais c'est pas une lettre urgente, tu peux mettre le code régional.

42

Au lieu de réparer les nids-de-poule, les villes devraient mettre des vraies poules dedans. Brises un amortisseur? Un poulet gratis.

43

Pour retrouver un sans-abri qui a disparu, le mieux, c'est de mettre sa photo dans les magasins de la SAQ.

44

Un bon truc pour ne pas te faire cambrioler: t'engages du monde pour veiller chez toi quand t'es pas là et, pour ne pas qu'ils se fassent voler pendant ce temps-là, tu vas veiller chez eux.

45

Un conducteur qui a oublié d'arrêter son clignotant, ça peut être aussi parce qu'il a oublié de tourner.

46

La médecine a vraiment fait du progrès: t'as pas ta carte? Ils acceptent le cash.

47

T'accroches tes meubles à l'envers au plafond et quand le monde te demande: «C'est quoi ce style-là?», tu dis: «Australien.»

48

Allergique aux éternuements? Bonne chance.

49

Si on mettait les squeegees sur les trottoirs, y pourraient laver des lunettes.

50

Y a des gens qui préfèrent l'harmonica au piano. Surtout des déménageurs.

51

Le mot le plus payant que l'inventeur du Scrabble a trouvé, c'est «Scrabble».

52

Quand quelqu'un te demande: «As-tu vu mes clés?», t'as le droit de répondre: «Ouais, souvent.»

53

Par grand froid, c'est dangereux de te coller la langue sur tes plombages, mais ça, les dentistes le disent jamais.

54

Pour faire comprendre à un sourd c'est quoi le bégaiement, tu t'éclaires avec un stroboscope pendant que tu lui fais des signes.

55

«Sable du désert, champagne, antilope, ivoire doré»: dans l'automobile, ça existe pas, la couleur «drabe».

56

Ce qui est bien avec un coquillage que tu portes à ton oreille, c'est que tu peux entendre la mer même si tu entres dans un tunnel.

57

Tu croises ta télécommande de téléviseur avec le dé-
marreur à distance de ton auto. Veut pas démarrer?
Clic: change d'auto!

58

C'est vrai que c'est vite, la lumière. Surtout la jaune.

59

En fait, il y avait déjà des inspecteurs de sacs à vidange à Montréal. Et ils te demandent juste trente sous quand ils te rencontrent.

60

Il y a déjà eu des chiens géants sur la terre, mais les seuls indices qu'on en a, c'est les os de dinosaures qu'ils ont enterrés.

61

Dans le fond, les habitants de la Grande-Bretagne devraient s'appeler des Grands-Bretons.

62

Si jamais on invente des Q-tips électriques, ça va probablement être des 2 watts.

63

La femelle du bison, c'est pas la bisoune, et le mâle de la pitoune, c'est pas le python.

64

On met pas de gants dans un coffre à gants, par contre on met pas de lampe de poche dans ses poches non plus.

65

L'inventeur de la boxe, il a pas pu inventer ça tout seul.

66

Quand Picasso mettait des lunettes avec les vitres cassées, il peignait normalement.

67

En général, les singes imitent les humains. Au zoo, c'est l'inverse.

68

L'usine GM n'est pas à sa place. Logiquement, Boisbriand, ça devrait être une usine de vernis à plancher.

69

Le plus gros avantage de la météo, c'est que quand il fait pas beau, au moins t'as quelqu'un à engueuler.

70

L'hiver, tu attires les oiseaux en mettant des graines. L'été, c'est en lavant ton pare-brise.

71

Si tu entends double, c'est parce que t'as les oreilles croches.

72

Pour diminuer la violence, tu montres aux enfants à jouer au cowboy écologique avec un casque à vélo en dessous de leur chapeau de cowboy et une banane au lieu d'un fusil et, quand ils font semblant de tirer de la banane, ils doivent essayer de ne pas viser l'autre enfant. S'ils réussissent à le manquer, ils peuvent manger la banane en la partageant avec lui, mais seulement après s'être lavé les mains.

73

Si t'envoies un zèbre jouer avec des chevaux, ils pensent que c'est l'arbitre.

74

Si on considère l'heure à laquelle on allume des lumières, un abat-jour, ça devrait être un abat-soir.

75

«Les chutes Niagara sont en feu.» Ça, ça serait une nouvelle.

76

Le 27 décembre, c'est la journée que les enfants commencent à dire ce qu'ils veulent pour Noël l'année prochaine.

77

Comme député, t'élis un gars qui fait du karaté. Le tapochage sur les bureaux, ça finirait là.

78

En fait, il devrait y avoir aussi des plaques «J'aime mon char» que tu mets sur ta femme.

79

Téléphoner pendant que tu conduis ta voiture, c'est sûr que c'est imprudent. Mais écrire une lettre, c'est-tu mieux? Non.

80

T'es victime d'un hold-up? Tu dis au voleur: «Je vais te faire un chèque et te le poster, juste à me donner ton nom et ton adresse.» Ça peut marcher.

81

Une poupée vaudou gonflable, c'est pas bon.

82

Tu laisses toujours deux imperméables dans l'entrée chez vous.

Des Témoins de Jehovah qui frappent à la porte? Tu dis: «Désolé, il y en a déjà deux.»

83

Une cigarette qui voit un cigare, elle pense que c'est un obèse tout nu.

84

Il y a juste quelques fantômes qui croient qu'on existe et encore là, ils font rire d'eux autres par les autres fantômes.

85

T'as un restaurant et tu détestes faire des omelettes.
Au lieu d'écrire «œuf» sur ton menu, écris «fœtus de
poule».

86

Ton parachute ne s'ouvre pas et, en te tuant, tu veux
pas créer de problèmes au gars qui te l'a loué?
Prends un air dépressif.

87

Perdu dans Montréal? Facile: tu trouves une bouteille vide, tu mets un message dedans, tu la lances dans le fleuve, t'attends.

88

Si t'organises une course de sourds, un avertissement: tu peux tirer du fusil très longtemps avant qu'ils partent.

89

C'est sûr, il existe un truc pour toujours gagner à la loterie, mais il faut que tu sois le gouvernement.

90

Si tu dis «Couic-couic» quand tu marches, les gens pensent que t'as des souliers neufs.

91

Quand t'appelles ton chat en miaulant, t'as l'air nono, mais pas autant que si t'appelles ton chien en jappant.

92

Un téléroman sur des gars de la voirie, ça pourrait être bon. C'est juste que, entre les pauses publicitaires, il se passerait rien.

93

Accueillir des extraterrestres, c'est sûr que ça pourrait être extraordinaire, mais tout à coup qu'ils volent nos jobs?

94

Quand un pied gauche se regarde dans le miroir, il pense qu'il est un pied droit.

95

Une autre preuve qu'on n'arrête pas le progrès: depuis qu'on vit plus longtemps, on meurt plus longtemps.

96

Si t'habites dans le désert, t'as le droit de te faire créditer les essuie-glaces sur ton auto.

97

Si tu beurres tes toasts du mauvais côté, juste à les manger à l'envers.

98

Pour pratiquer la pêche au cochon, le mieux, c'est une ligne érotique.

99

L'équité, en théorie, c'est beau mais essaye de trouver un gars pour faire une annonce de serviettes sanitaires.

100

Le monde qui bégaye, ça leur coûte plus cher d'interurbains.

101

Un salon funéraire qui annonce des cercueils «frais du jour», y en vend pas plus.

102

La police t'arrête pour excès de vitesse, tu lui dis: «J'étais sur le *cruise control*. Envoie le ticket à General Motors.»

103

Ton chien aime ça, mordre tes souliers? Tu remplis une assiette de lacets et tu lui dis: «Tiens, c'est des spaghetti.»

104

Pas étonnant qu'y ait tant de mort sur nos routes: il y a une date d'expiration sur nos permis de conduire.

105

Mettons que tu dors à l'ouvrage, mais que tu rêves que t'es en train de travailler, ça peut marcher.

106

Quand les Américains ont marché sur la lune, il y en a un qui bougeait pas. Après quelques secondes, il a dit: «Excusez, j'étais dans la terre.»

107

Les cérémonies de remise des médailles aux Olympiques, ça irait plus vite s'ils les donnaient directement aux petits pots d'urine.

108

Le corps humain est extraordinaire: en cas de feu, t'as un extincteur. Mais il faut que t'aies envie.

109

Un bon truc si t'as pas de casse-noix: tu déménages dans un édifice où y a des portes d'ascenseur.

110

Avant de prendre l'autobus parce que tu trouves jamais de stationnement pour ton auto, penses-y: un autobus, c'est encore plus gros à stationner.

111

Les concombres, entre eux, ils se racontent des histoires de bananes. Ils pensent que c'est des blondes.

112

Mettons que t'as pas de preuve d'identité sur toi, tu signes ton nom deux fois sur un papier et tu dis: «Regarde ma signature, elle est pareille.»

113

L'hiver, on pourrait mettre du lait dans les rues. Un: c'est blanc. Deux: c'est beau. Trois: il y a du calcium, là-dedans.

114

Si, à ta mort, t'as demandé d'être incinéré, mais que tu meurs noyé, ils sont obligés de te faire bouillir.

115

La mousse blanche qu'on voit sur la mer est une autre preuve de l'intelligence insoupçonnée des baleines: elles se mouchent.

116

La veille d'un rendez-vous chez le dentiste, c'est toujours mieux de ne pas dormir. De toute façon, il va te demander de bâiller pendant trois quarts d'heure.

117

Si un jeune regarde trop de films de violence au cinéma, quand il va voir de la vraie violence dans la vie, il va avoir faim pour du maïs soufflé.

118

Les Martiens sont verts, mais en vieillissant, on ne sait pas s'ils deviennent rouges ou jaunes.

119

Un coup mal pris, tu peux jouer au basketball avec une boule de quilles, mais ça fait des scores moins élevés.

120

Le désavantage de la démocratie sur le communisme, c'est que pour mettre un pays en faillite, il faut au moins deux partis politiques.

121

À Venise, quand les mamans aperçoivent des poissons qui baisent dans la rue, ils disent à leur enfant de regarder de l'autre côté.

122

Pour rendre ton chien fou, tu lui achètes un collier qui sent le chat.

123

Dans le fond, le verbe «bégayer», ça devrait être «bé-bégaygaye».

124

Vomir, ça peut te rendre aveugle si tu portes un casque de Formule 1.

125

Ceux qui travaillent dans les usines de café, ils prennent une pause-quoi?

126

Si tu trouves souvent de la monnaie à terre, ça peut être le signe que t'as de la chance ou un trou dans ta poche.

127

Les serpents marchent sur le ventre, les poux marchent sur la tête.

128

Un cheval de bois, c'est sûr que c'est plus propre, mais à la longue, lui aussi, il va te faire des petits tas de bran de scie.

129

Le progrès, c'est quand t'entends le chroniqueur de la circulation dire à la radio: «C'est lent sur les voies rapides.»

130

Pour te protéger les yeux des rayons du soleil, encore mieux que les verres fumés: du jambon fumé. Mais il faut pas que tu conduises.

131

Les débats à l'Assemblée nationale, c'est la seule émission où tu zappes pour aller voir les annonces aux autres postes.

132

Dans le trafic, l'autobus, c'est plus rapide que la voiture parce que, en voiture dans le trafic, t'es souvent ralenti par les autobus.

133

Dans les campagnes autrefois, le catalogue remplaçait les livres, l'almanach remplaçait les journaux et la génisse remplaçait les magazines érotiques.

134

On pourrait faire des moustiquaires collants, mais ça enlève de l'emploi aux araignées.

135

Pour faire un hold-up dans un Boeing 747, il faut que t'aies accumulé au moins 3000 heures de vol.

136

Sur notre planète, si tu te tiens au sous-sol plutôt qu'à l'étage, tu peux sentir que tu tournes moins vite, mais il faut pas que tu sois distrait.

137

Peut-être qu'on a déjà tous été hypnotisés, mais qu'on a reçu l'ordre de ne pas s'en souvenir.

138

C'est gardé secret parce que ça ferait juste écœurer, mais en réalité, la Biosphère de l'île Sainte-Hélène, ça représente un œil de grosse mouche verte.

139

Les premières traces de cancer du colon, ça remonte à la Nouvelle-France.

140

Avec des yeux d'aigle, tu pourrais lire le journal à un coin de rue de distance, mais pour tourner les pages, ce serait 5 minutes aller-retour.

141

Ton partenaire t'engueules parce que tu t'endors après que t'as fait l'amour? Endors-toi pendant que tu fais l'amour.

142

Si ton travail, c'est «lécheur d'affiche», ta langue de travail et ta langue d'affichage, c'est la même.

143

Dans ton bureau, si t'as un diplôme, t'as l'air intelligent. Si t'as un climatiseur, t'as l'air conditionné.

144

Dans les camps de nudistes, les pianistes sont supposés jouer de la harpe. Normalement.

145

Du lait, c'est vachement bon, mais de l'eau, c'est pas robinettement bon.

146

Un bâton en travers des oreilles, t'as l'air fou, mais si tu te retrouves avec la tête de côté dans la gueule d'un crocodile, t'es content.

147

Quand l'éléphant mâle s'approche de la femelle, il commence par se mettre discrètement la trompe dans la bouche pour vérifier son haleine.

148

La preuve que les alarmes contre les voleurs sont pas au point: on a encore tous reçu un formulaire d'impôt cette année.

149

Mettons que t'as un arbre, c'est sa fête et t'invites d'autres arbres. Ils viennent pas.

150

Au golf, tu diriges ton œil dans la direction où tu vises. Si c'est ton œil artificiel et que tu t'en sers comme balle, c'est pareil.

151

T'es invité chez un un ami qui habite un igloo? T'apportes des cubes de glace et tu dis: «Tiens, c'est un plancher de céramique.»

152

Si tu dis à un enfant: «Respecte ta mère, petit enfant de chienne», ça le mêle.

153

La meilleure façon pour dessiner un diamant, c'est à la mine. Pour un bateau, c'est à l'encre.

154

C'est mieux d'être une actrice maigre. Quand il n'y a plus personne qui t'offre des rôles, si t'es grasse, tu peux pas sortir un vidéo d'exercices.

155

T'es pas capable de retenir ton numéro d'assurance sociale? Un bon truc: apprends à dessiner tes empreintes digitales par cœur.

156

Dans la religion où le sauveur est mort tranché et ensuite frit, on communie avec des chips.

157

Avant d'appeler le câble parce qu'il y a de la neige dans ta télé, t'es supposé t'assurer que c'est pas des pellicules dans tes lunettes.

158

Quand un pilote voit que son avion va s'écraser en mer, il pourrait demander s'il y a des passagers qui ont déjà fait du surf.

159

Mettons que tu fais tourner ta cuiller très vite dans ton bol de soupe aux légumes et t'entends: «Yé! Plus vite!», ces légumes-là sont pas cuits.

160

Si tu remplaces les quilles par des piétons et la boule par un camion, c'est là que tu vois que, en réalité, les quilles, c'est un sport violent.

161

Au lieu de filmer les voleurs dans les banques, tu les photographies au flash et, pendant qu'ils ne voient plus rien, tu les arrêtes.

162

Quand on te remet les cendres du défunt, testes-les avec un aimant. Si tu ne ramasses rien, désolé: tu t'es fait voler les plombages.

163

S'ils faisaient des vêtements avec une date d'expiration, on saurait quand ils sont passés de mode.

164

Si tout le monde te dit que t'es laid, t'as le droit de montrer la photo de tes parents pour expliquer comment c'est arrivé.

165

Si ton chat boit l'eau du bol de toilette, c'est peut-être pas très utile de lui acheter la nourriture la plus chère.

166

Si tu trouves que tu parais mieux en vieillissant, oublie pas que, en vieillissant, ta vue baisse.

167

T'es muet, mais tu marches vite? Dommage qu'on ne soit pas en 1910, tu pourrais faire carrière au cinéma.

168

Assis à longueur de journée dans ton fauteuil à regarder la télé, c'est nul, mais pas autant qu'assis sur ta télé à regarder un fauteuil.

169

Si tu passes tout droit quand tu fais reculer un vidéo, tu peux te retrouver avec les vrais acteurs dans ton salon.

170

En semant des glaçons, non seulement tu peux faire pousser de l'eau, mais t'as même pas besoin d'arroser.

171

Un truc pour ceux qui se lèvent toujours du mauvais côté du lit: coller le lit contre le mur.

172

Un légume génétiquement modifié, on sait pas ce que ça peut faire à l'humain. Par contre, un humain génétiquement modifié, ça peut faire un légume.

173

Si les Américains plantaient une grosse queue au pôle Nord de la planète Mars, le soir, on pourrait dire à nos enfants: «Regarde la grosse pomme dans le ciel, c'est un cadeau de ton oncle Sam.»

174

Pour empêcher les enfants de grimper dans la clôture qui entoure une piscine, on n'a qu'à entourer la clôture d'un fossé d'environ 2 mètres de profondeur et le remplir d'eau.

175

Depuis le temps que les humains approchent des coquillages de leur oreille, il est quand même étonnant que l'évolution n'ait pas encore créé de coquillages mangeurs d'oreille.

176

Une personne qui parle au grille-pain ou à la bouilloire, c'est facile de se rendre compte qu'elle est schizophrène. Les plus difficiles à déceler, c'est celles qui parlent au téléphone.

177

Pour calmer les enragés du volant, faire inscrire «Peace and Love» sur ta voiture, c'est bien. Faire inscrire «Livraison d'armes à feu», c'est pas mauvais non plus.

178

Un bon truc pour te rendre en Floride pas cher: tu te pèses, tu te colles les timbres qu'il faut dans le front, en haut à droite.

179

Mettons que tu deviens un D.J. célèbre, t'engages un chiropraticien pour replacer tes disques.

180

La main humaine n'est pas aussi bien conçue qu'on le pense: quand on tient un sandwich, on a quatre doigts qui ne font rien sur le dessus et un pouce tout seul pour tenir le dessous.

181

Ton testament, tu lègues ça à qui?

182

Anciennement, quand les poissons venaient juste de manger, ils restaient trois heures sans nager. Aujourd'hui, ça se voit moins.

183

Un bon tour à jouer à un ami facteur: tu lui achètes un vaporisateur supposé éloigner les chiens, mais qui, en réalité, sent le mollet.

184

Une idée pour fêter l'anniversaire de notre système solaire: on coupe des icebergs en grandes tranches et on les place côte à côte à la surface de notre planète. Les rayons du soleil rebondissent sur les tranches d'iceberg pendant que la terre tourne et, vu des autres endroits de la Voie lactée, ça ressemble à une boule de miroirs comme il y en a parfois au plafond d'une salle de danse. Pour la musique, on demande à quelqu'un.

185

Quand tu vois des petits points noirs partout, ça peut être ta pression qui est trop basse ou ta cafetière qui vient d'exploser.

186

Un robot, c'est comme un débile moyen : tu lui donnes un ordre, il l'exécute. Le problème, c'est que les robots coûtent trop cher pour l'armée.

187

Il faut manger des animaux, sans quoi ils vont manger toute la nourriture des végétariens.

188

Le jour où on va savoir comment transformer la pourriture en pétrole sans que ça prenne des millions d'années, regarde bien les manifs pour avoir des vidanges.

189

Les maigrichons regardent la lutte, les asthmatiques regardent le hockey, les pharmaciens regardent les Olympiques.

190

Quand un Éthiopien voit dans un magazine la photo d'une fille toute nue sur le bord de l'eau, il découpe l'eau.

191

L'homme a inventé l'intelligence artificielle, mais c'est la femme qui a inventé l'orgasme artificiel.

192

Au lieu d'une boussole, des chaussures aimantées. Cherches le nord? Juste à suivre tes pieds.

193

Il existe des chiens très intelligents qui réussissent à entraîner leur maître à dire: «Donne la patte.»

194

Il y a beaucoup de Romains qui étaient prêts à inventer l'échelle, ils attendaient que quelqu'un invente le pantalon.

195

L'Alzheimer, une autre façon d'arrêter de fumer.

196

On devrait construire la tombe du Contribuable inconnu, pour se souvenir de celui qui a payé la tombe du Soldat inconnu.

197

Mettons que dans un sondage on te demande si t'as déjà répondu à un sondage, pas le choix: t'es obligé de répondre «oui».

198

En fait, le bureau des objets perdus devrait s'appeler le bureau des objets trouvés.

199

Notre espèce a évolué grâce à la sélection naturelle. Après, il y a eu les élections.

200

Il devrait exister au moins un mois de 49 jours pour les gens qui aiment prendre leur date de naissance comme numéro à la 6/49.

201

Si tu croises un chat noir sur la route, ça te porte malheur, mais si t'es en auto, c'est au chat que ça porte malheur.

202

L'optimisme, c'est sûr que c'est une belle philosophie, mais tout à coup que ça marche pas?

203

En plus du décalage horaire, il y a aussi le décalage minutaire, qui s'attrape en auto le matin: t'es en retard partout pour le restant de la journée.

204

En vieillissant, il y a des amnésiques qui attrapent l'Alzheimer, mais ça ne change pas grand-chose.

205

Bonne nouvelle: tu ne feras jamais de rhumatisme si tu meurs à vingt ans dans un accident.

206

Un bon truc quand t'as pas les moyens d'amener un ami aveugle en vacances: tu l'asseois pendant trois heures dans ta voiture, tu le fais descendre et là, tu lui parles en répétant-tant-tant toujours-jours-jours deux fois-ois-ois la dernière-ière-ière syllabe-labe-labe de chaque mot-mo-mo que tu dis-dis-dis. Si en plus t'as pensé à lui faire porter une petite laine, il va croire que tu l'as amené à la montagne. Il va être content.

207

S'il y a des chauves-souris, il doit y avoir aussi des chauves-chats, c'est juste qu'on les a pas encore trouvés.

208

En nageant, tu trouves que tu flottes moins bien? Ça peut être des pierres aux reins.

209

Quand le Pape se retrouve à l'hopital, ils font juste fendre sa soutane blanche à l'arrière.

210

Quand un sourd voit quelqu'un qui siffle, il pense qu'il dit «u».

211

Un bon truc pour réconforter quelqu'un qui a renversé son verre sur lui: tu renverses le tien par-dessus pour lui montrer que ça peut arriver à tout le monde.

212

Quand tu présentes la main à quelqu'un que tu rencontres, t'as pas à dire: «Je te présente ma main», sauf si t'as donné un nom à ta main.

213

Un magicien qui a une demi-sœur, ça peut lui faire une bonne assistante pour le numéro de la femme sciée en deux.

214

Dans une soirée, si tu dis aux gens que t'as une horloge qui fait tac-tic au lieu de tic-tac, ils essayent de changer de sujet.

215

Quand tu gagnes 5 millions par année, il faut avouer que «donner ton 110 %», ça commence à faire beaucoup.

216

Quand tu cherches l'âme sœur dans Internet, la meilleure manière de la trouver, c'est de passer moins de temps dans Internet.

217

Ça donne rien de se laver les mains avant de sortir d'une toilette publique: la poignée de la porte est sale.

218

C'est très difficile d'imaginer un astronaute, un sex-symbol ou un prix Nobel qui s'appelle Gaétan.

219

L'optimiste voit la bouteille à moitié pleine, le pessimiste la voit à moitié vide, le réaliste la rapporte et il fait 5 cents.

220

En fait un ascenseur, ça devrait s'appeler un ascenseur-descendeur.

221

Avec le défaut de langue que ça prend, il est possible de dire «serrurier» et que le monde comprenne «chirurgien».

222

Deux demi-frères, ça ne donne pas un frère.

223

Si ta belle-mère est laide, ton grand-père est petit et ton cousin germain ne s'appelle pas Germain, ça aide à comprendre pourquoi y a des enfants qui apprennent tard à parler.

224

Quand une femme n'aime pas ses petits seins, il y a les implants mammaires, mais il y a aussi les cours d'accordéon.

225

Tant qu'à ajouter un 29 février à chaque année bis-sextile, on aurait pu choisir une journée d'été.

226

Quand on invite des gens à souper, il faut asseoir la personne qui a l'air la plus constipée à la place qui est la plus loin de la toilette.

227

Quand il sent que l'avion va s'écraser, le pilote devrait essayer de viser une grosse noce. Ça tuerait plus de monde, mais on aurait au moins un vidéo professionnel de ce qui s'est passé.

228

Quand t'es à moitié mort, tu peux pas réclamer la moitié de ton assurance-vie.

229

La raison pour laquelle on aime la musique militaire, c'est que en marchant, ils se trouvent à s'éloigner.

230

Tu veux vraiment surprendre quelqu'un le jour de sa fête? Quand il rentre chez lui, tout le monde s'en va. *Ça*, c'est une surprise.

231

Il existe des estrades. Pourquoi n'y a-t-il pas de ouestrades?

232

Les scientifiques pensent de plus en plus que les meurtriers agressifs, sadiques, déviants et violents seraient des solitaires.

233

Quand un Japonais s'achète une caméra-vidéo, il en prend une photo.

234

Peut-être que les salles d'attente de nos urgences débordent parce que ce sont les salles d'attente qui sont trop petites.

235

Quand t'es impliqué dans une bataille de ruelle, t'as le droit de vérifier d'abord si le couteau de l'autre est propre.

236

Un cirque en Afrique, ça pourrait marcher, mais il faut que tu remplaces le dompteur de lions par un dompteur d'orignaux.

237

Perdu au milieu du désert, c'est important d'avoir des pensées positives comme: «Au moins, c'est pas du sable mouvant.»

238

La peur d'avoir le cancer est une des principales causes des maladies du cœur.

239

On pense toujours que ça arrive juste aux autres de penser que ça arrive juste aux autres, mais non.

240

Quand les pompiers sauvent un chat qui est pris dans un arbre, ils sont soulagés. Surtout s'ils en avaient écrasé un en s'en venant.

241

Si t'es en bonne santé au moment où t'attrapes une maladie mortelle, t'es malade plus longtemps et tu crèves quand même.

242

Si les profs, les mères et les policiers acceptaient de fumer pendant 6 mois, les jeunes arrêteraient.

243

«Ce qu'on ne sait pas peut pas nous faire mal.» C'est vrai, sauf si on sait pas que le gros camion derrière n'a pas de frein.

244

Quand t'as pas entendu ce que vient de te dire quelqu'un, c'est parce que t'avais les oreilles fermées.

245

Quand t'as un dentier neuf et que tu dis «Chau-chiche» au lieu de saucisse, c'est mieux de ne pas es-sayer de dire «Je scie du bois».

246

Il existe des béquilles homéopathiques. Tu les sèmes, et durant les années qu'elles poussent, tu suis un cours d'ébénisterie.

247

L'avantage de payer les travailleurs russes en vodka, c'est que une heure après, ils pensent qu'ils ont été payés en double.

248

L'anneau de mariage, peut-être que ça cause le mal de tête.

249

Une baisse de l'inflation, c'est comme quand t'accélères plus lentement pour aller plus vite juste plus tard. Au fond, c'est simple.

250

Le miel, c'est bon, mais il faut quand même réaliser qu'on n'a jamais vu de caca d'abeille.

251

Une idée de cadeau pour un boxeur: un réveil-matin qui compte jusqu'à 10.

252

Quand un pitbull te saute au visage, si tu pars à rire, il te laisse tranquille les fois d'après.

253

Si quelqu'un pète à l'église pendant des funérailles et que ça fait rire un peu le monde, c'est peut-être Dieu qui l'a voulu.

254

On admire les chrétiens qui se faisaient dévorer par les lions, mais on oublie les gladiateurs au chômage qui avaient une famille à nourrir.

255

Ce serait bien de connaître d'avance la date de la fin du monde pour pouvoir la filmer et la regarder plus tard.